युगनायक
नरेन्द्र दामोदर दास मोदी

काव्य-कला दिल की है भाषा
स्वयं निकलकर आती है।
वीणावादिनि की कृपा दृष्टि से
छंद पंक्ति बन जाती है।।

देशभक्त शिक्षित कर्मशील
युवक जहाँ पर रहते हैं।
विकसित करके अपना समाज
बीज प्यार के बोते हैं।।

जान हथेली पर लेकर के
जो आगे बढ़ जाते हैं।
उनके आगे दुश्मन झुकता
गौरव राष्ट्र बढ़ाते हैं।।

युगनायक
नरेन्द्र दामोदर दास मोदी

कन्हैयालाल खरे

GenNext Publication

युगनायक नरेन्द्र दामोदर दास मोदी

ISBN : 978-93-8022-335-3

भारत सन् 2018 में प्रकाशित

जेन्नेकस्ट पब्लिकेशन

5, अंसारी रोड, दरियागंज,

नई दिल्ली-110002

Phone : 9811692060

ई-मेल: gennextpublication@hotmail.com

मुद्रित: जी. प्रिंट प्रोसेस, दिल्ली

प्रिय

विद्यार्थियों

को

समर्पित

अनुक्रम

फोटो

प्रस्तावना

वसुधैव कुटुंबकम की भावना लेकर पूरे विश्व में भ्रमण करने वाले नरेन्द्र मोदी को विश्व आशा भरी दृष्टि से देख रहा है। जितनी पुस्तकें इन पर पढ़ने को मिली सम्भवतय: किसी भी नेतृत्व पर नहीं मिलीं। असाधारण व्यक्तित्व के धनी हैं श्री मोदी जी।

उनके बचपन की शौर्यमय जीवनी विद्यार्थियों के लिए प्रेरणाप्रद हैं। उनका राष्ट्रीय स्वंयसेवक संघ से जुड़ाव, फिर प्रचारक का कठिन मार्ग, आपातकाल में साहस, धैर्य और निर्भीकता से कार्य करना। राजनीति में पदार्पण के पश्चात् इनके धैर्य और कुशलता से विरोधी भी परास्त हुए, पर उन विरोधियों से भी अपनत्व का भाव, बड़ों से बड़ों का आदर और छोटों से छोटों का प्यार यह उनकी विशेषता रही है।

फिर कार्य कुशलता एवं क्षमता का ऑकलन वरिष्ठ जनों के करने पर मुख्यमंत्री बनाना और सांप्रदायिक हिंसा का तीसरे दिन ही समाधान एवं प्रदेश में सामान्य स्थिति लाना। गुजरात में सर्वांगीण विकास की ऐसी धारा बहाई कि जन–मानस में शांति एवं खुशहाली आ गई, गुजरात का कायाकल्प ही कर डाला। इन कारणों से जनमानस में भावना जगी कि यदि मोदी प्रधानमंत्री बन जायें तो पूरे देश का ही विकास हो जाए। वरिष्ठ पार्टी नेतृत्व ने जन भावना को

समझा, और प्रधानमंत्री प्रत्याषी घोषित किया और वे बहुमत से प्रधानमंत्री बने।

राष्ट्र के लिए जीवन का प्रतिपल समर्पित, अपना कुछ भी नहीं सब कुछ राष्ट्र का, सबका साथ, सबका विकास, के लिए सतत् कर्तव्य पथ पर चलते रहना ही जिसका लक्ष्य हो ऐसे व्यक्तित्व के व्यक्ति हैं श्री नरेन्द्र दामोदर दास मोदी जी। उनकी जीवनी काव्यमय लिखने का सौभाग्य मुझे मिला, इसके लिए मैं माँ शारदे को नमन करता हूँ।

कन्हैया लाल खरे
38, ए एम 1, एक्स 1
शाालीमार गार्डन
गाजियाबाद 201005
Mob.: 9990638315
E-mail:klkhare@yahoo.com

1

शुभ संदेश

जनरल (डा.) विजय कुमार सिंह
पीवीएसएम, एवीएसएम, वाईएसएम (से.नि.)
GEN. (DR) VIJAY KUMAR SINGH
PVSM, AVSM, YSM (Retd)

सत्यमेव जयते

विदेश राज्य मंत्री
भारत सरकार, नई दिल्ली
Minister of State for External Affairs
Government of India, New Delhi

08 दिसम्बर 2017

शुभ संदेश

मुझे यह जानकर हार्दिक प्रशन्ता का आभास हो रहा है की माननीय प्रधानमंत्री के जीवन पर रचित पुस्तक **"युग नायक नरेन्द्र दामोदर दास मोदी"** के प्रथम भाग का विमोचन किया जा रहा है । मुझे पूर्ण विश्वास है, कि यह पुस्तक माननीय मोदी जी के जीवन के सभी पहलुओं को भली-भाँति प्रस्तुत कर राष्ट्र निर्माण की भावना एवं श्रेस्ठ मानव मूल्यों को भावी पीढ़ी तक पहुंचाने का उपयुक्त माध्यम सिद्ध होगी ।

इस शुभ अवसर पर मैं **"युग नायक नरेन्द्र दामोदर दास मोदी"** पुस्तक के रचयिता श्री कन्हैया लाल खरे (गीतकार) जी को हार्दिक बधाई देता हूँ तथा पुस्तक के सफल विमोचन व प्रकाशन हेतु अपनी शुभकामनाएँ भेज रहा हूँ ।

(जनरल (डॉ.) वी. के. सिंह)

2

आत्माभिव्यक्ति

कर्मण्येवाधिकारस्तेमॉफलेषुकदाचन सत्य का भाव हृदय में धारण कर कर्म पथ पर जो अग्रसर रहते हैं, उनके पथ में किसी प्रकार के अभाव बाधाएं बाधक नहीं बन पाती और वे अपने पथ पर आगे बढ़ते ही रहते हैं। कुछ लोग बड़े घर में पैदा होते हैं और कुछ को लोग बड़ा बना देते हैं। नरेन्द्र दामोदर दास मोदी न तो बड़े घर में जन्मे और न ही लोगों ने उन्हें बड़ा बनाया अपितु वे जीवन संघर्षों से आगे बढ़े। लोगों ने इनकी प्रतिभा का लोहा माना ओर इनकी बौद्धिक क्षमता को स्वीकार किया। प्रस्तुत पुस्तक में इसी की अभिव्यक्ति है।

हमारे मोदी जी ऐसे अद्भुत व्यक्तित्व के धनी हैं कि जो इनसे मिलता है इनका ही हो जाता है इनके व्यक्तित्व का उल्लेखनीय पहलू विश्व बन्धुत्व का भाव परस्पर स्नेह एवं सर्व धर्म समभाव तथा समरसता है जो कि पूरे विश्व गें प्रसारित कर रहे हैं।

स्वामी विवेकानन्द, विश्व भविष्य का पूरा प्रतिबिम्ब देखने वाले नास्त्रेदमस और बचपन में हस्तरेखा देख साधु की भविष्य वाणियाँ:

कन्याकुमारी समुद्र शिला पर, तैर विवेकानन्द गए
ध्यान लगाकर भारत देखा, भविष्य सुनहरा रूप नये।
नास्त्रेदमस की भविष्य वाणी–नायक महान आयेगा,
इक्कीसवीं सदी के भारत को, उन्नत राष्ट्र बनायेगा।
हस्तरेखा देख साधु ने, बचपन में बतलाया था,
साधु सन्त या नेता महान, बने बात समझाया था।

पर जब ध्यान गया तो भारत का सुनहरा भविष्य दिखा और लगा कि माँ भारती को नरेन्द्र दामोदर दास मोदी के रूप में वह सपूत मिल गया है जो भारत को पुनः विश्व गुरु के पद पर सुशोभित करेगा।

उक्त प्रतिबिम्ब से भाव हृदय में उठे कि ऐसे व्यक्ति के जीवन पर प्रकाश डालूं जो कि भविष्य में आने वाली पीढ़ियों के लिए प्रेरक हों, माँ वीणावादिनि के वीणा के स्वर से हृदतंत्री के तार झंकृत हो उठे और स्वतः ही लेखनी उठ गई।

मैं अपनी प्रिय सत्या खरे की प्रशंसा करता हूँ जिसने अपने स्वर व गेयता से लय व मात्रा की त्रुटियों की ओर इंगित किया व पुत्रवधू श्रीमती नीतू खरे का कम्प्यूटर पर टाईप का योगदान सराहनीय रहा। कविवर मधुर कृष्ण जी से मिली प्रेरणा का आभारी हूँ।

प्रस्तुत पुस्तक में बचपन से प्रधानमंत्री बनने तक ही समाविष्ट है। अनुमति व प्रोत्साहन मिलने पर देश, विश्व के लिए किए कार्यों को पुस्तक के दूसरे भाग में समावेश करने का प्रयास करुंगा।

कन्हैयालाल खरे

3

अस्तित्व

माँ भारती की पुन्य कोख ने
पाया एक सितारा है
युगनायक नरेन्द्र मोदी को
अपनी गोद संवारा है ।।1।।

प्राची की अरुणिम आभा सा
लगता सबको है प्यारा
ज्योति जला अध्यात्म ज्ञान की
चला मिटाने अंधियारा ।।2।।

मातृभूमि की पावन माटी
का माथे पर तिलक चढ़ा
पूजन अर्चन वंदन करके
चलता अपने कदम बढ़ा ।।3।।

गाँधी, पटेल की धरती का
देश भक्त दिल जीत रहा
विवेक, दया, केशव, माधव सा
सारा जीवन बीत रहा ।।4।।

राजनीति को धर्मनीति से
जोड़ चला शासन करने
पूर्ण विश्व परिवार हमारा
सद्विचार सब में भरने ।।5।।

स्नेह प्यार बांटते सभी में
हर कोई अपनाता है
मोदी-मोदी जयकार गुंजा
प्रिय को नयन बसाता है ।।6।।

विश्व पटल पर गूंज रहा है
जय-जय भारत का नारा
स्नेह, प्यार, बंधुत्व भाव ले
उमड़ पड़ा मानव सारा ।।7।।

अनुशासन पाया संस्कार में
अनुशासित जीवन जीता है
कर्मण्येवाधिकारस्ते की
दिल में रखता गीता है ।।8।।

सादा जीवन उच्च विचारों
की पाई उसने थाती
करे सामना तूफानों का
फौलादी उसकी छाती ॥9॥

बाधाएं आती हैं आएं
आगे बढ़ता जाता है
महापुरुष माता ने जाये
उनको शीश नवाता है ॥10॥

देख दुर्दशा राजनीति की
बहुधा विचलित हो जाता
वाणी पर संयम रखता है
फिर भी सत्य झलक आता ॥11॥

वैभव पूर्ण बने भारत
उद्देश्य चला पूरा करने
जाग्रत करके युवा शक्ति को
नव-चेतना चला भरने ॥12॥

मगरमच्छ को वश में कर ले
ऐसा साहस बांहों में
कंटक पथ भी करता जाता
सुगम सुहानी राहों में ॥13॥

मधुर प्यार की बोली बोले
रसना में रसधार बहे
दुश्मन को भी गले लगा ले
कोई शिकवा नहीं रहे ।।14।।

अध्यात्मिकता का अमृत भर
रसना में रस घोल रहा
हिंदी, अंग्रेजी, गुजराती सब
धारा प्रवाह बोल रहा ।।15।।

कठिन परिस्थितियों के शोलों पर
जो आगे बढ़ते रहते
फौलादी जिनके विचार हैं
कुन्दन बने तपन सहते। ।।16।।

कलाकार की दिव्य कलाकृति
कोई गूढ़ समझता है
जो भी आता उसके आगे
अपनी कला निरखता है ।।17।।

दीन दयाल सरीखा चिन्तन
श्यामा प्रसाद सा साहस है
अटल बिहारी सी मौलिकता
अडवाणी सा ढाढ़स है ।।18।।

सबका ध्येय अमोघ अस्त्र बन
उसमें साहस भरता है
आलोचक मिमियाता रहता
करे सामना डरता है ।।19।।

युवा शक्ति को देश शक्ति के
रूप सामने करता है
तन, मन, जीवन भारत के हित
भाव सभी में भरता है ।।20।।

देशभक्ति, अनुशासन उसमें
अविरल बहता रहता है
शाखा-संघ, एन. सी. सी., सी
दृढ़ता भरता रहता है ।।21।।

गाँधी का सत्य जगत ने जाना
अब मोदी का जान रहा
विदेश नीति या देश नीति का
कुशल खिलाड़ी मान रहा ।।22।।

कोई अपना नहीं पराया
पूर्ण देश ही अपना है
फिर से भारत बने विश्व गुरु
दिन रात देखते सपना है ।।23।।

4

बचपन

हीरा बेन भाग्यवंती माँ
अनुपम, प्यारा सुत जाया
श्री दामोदर दास अजिर में
पुत्र तीसरा है आया ।।1।।

उन्नीस सौ पचास का शुभ दिन
सत्रह सितम्बर को आया
गुजरात राज के वड़नगर ने
नरेन्द्र सा है सुत पाया ।।2।।

पाँच भाई बहन बासंती रांग
बीता था उनका शैशव
कठिन अभाव भरे आँगन में
भी निखरी प्रतिभा वैभव ।।3।।

बिजली-पानी नहीं गाँव में
झील में कपड़े धुलते थे
माटी का मटका पीने का
कुंए से पानी भरते थे ।।4।।

गरीबी अभाव भरा जीवन
परिवार साथ ही रहते थे
मेहनत-मजदूरी करके सब
जीवन यापन करते थे ।।5।।

सुंदर सा कच्चा मकान था
सभी उसी में रहते थे
परिवार आठ लोगों का
प्यार परस्पर करते थे ।।6।।

घाँची कुल में जन्म लिया जो
पिछड़ा वर्ग में आते हैं
तेल व्यवसयी हिंदू मुस्लिम
घाँची वहाँ कहाते हैं ।।7।।

माँ औरों के घर श्रम करके
आय बढ़ाया करती थी
बच्चों के पढ़ने भोजन में
व्यस्त बहुत वह रहती थी ।।8।।

दुकान चाय की स्टेशन पर
साथ पिता के जाते थे
करते विद्याध्यन घर पर ही
उचित समय जो पाते थे ॥9॥

सक्रिय सभी काम में रहते
प्रतिभा तभी झलकती थी
बातचीत में बड़े निपुण थे
सुन मिश्री सी घुलती थी ॥10॥

थे मेधावी छात्र सदैव
प्रथम उत्तीर्ण हुआ करते
वाद-विवाद सभा में अपनी
वाक-कला साबित करते ॥11॥

काँग्रेस ऑफिस स्टेशन पर
दवेरसिक भाई रहते
छह वर्षीय नरेन्द्र दास से
प्यार बहुत थे वे करते ॥12॥

आर. एस. एस. की शाखा में
जाने को थे समझाते
अच्छे लोग वहाँ पर आते
यह नरेन्द्र को बतलाते ॥13॥

दवे से बिल्ले सन छप्पन में
पृथक गुजरात के लेते
राजनीति की समझ नहीं पर
बांट साथियों में देते ।।14।।

नरेन्द्र की दुकान शाखा से
आते चाय पिया करते
सम-सामयिक देश की चर्चा
मिलकर वहाँ किया करते ।।15।।

बड़े ध्यान से नरेन्द्र उनकी
सब चर्चायें सुनते थे
उनकी देशभक्ति की बातें
वे मन ही मन गुनते थे ।।16।।

लक्ष्मण राव इनाम दार जी
थे मशहूर वकालत में
वे यह सबको समझाते थे
शक्ति संगठित ताकत में ।।17।।

प्रान्त प्रचारक लक्ष्मण जी भी
बहुधा आया करते थे
पीकर चाय नरेन्द्र बाल की
चुटकी लेकर कहते थे ।।18।।

छोटू जी, तुम कितनी अच्छी
चाय बनाया करते हो
पढ़ने भी जाते हो या बस
चाय पिलाते रहते हो ।।19।।

पढ़ने जाता हूँ विद्यालय
खूब पढ़ाई करता हूँ
यहाँ आप जो चर्चा करते
उसको सुनता रहता हूँ ।।20।।

शाखा में आओ नरेन्द्र जी
तुम तो अच्छे बच्चे हो
मेहनत, लगन, तुम्हारे अन्दर
दिल के भी तुम सच्चे हो ।।21।।

आठ वर्ष के शिशु नरेन्द्र ने
शाखा जाना शुरू किया
सायं शाखा में जा करके
सबका ही मन मोह लिया ।।22।।

लक्ष्मण जी ने नरेन्द्र में कुछ
अद्भुत क्षमता को पाया
आर. एस. एस. का ध्येय और व्रत
उन्हें ठीक से समझाया ।।23।।

वकील साहब के प्रति काफी
नरेन्द्र श्रद्धा रखते थे
उनकी शिक्षाप्रद बातों से
अपना जीवन गढ़ते थे ।।24।।

विद्यालय, शाखा, दुकान, घर
उनकी दिनचर्या रहती थी
कठिन परिश्रम, त्याग, समर्पण
श्रेष्ठ भावना भरती थी ।।25।।

विद्यालय के बाद शीघ्र वे
दुकान पिता की जाते थे
लिए केतली दौड़ लगाकर
ट्रैन में चाय पिलाते थे ।।26।।

साथी मित्रों में खुद की
पहचान विशिष्ट बनाते थे
राजनीति, इतिहास, धर्म में
अपना ज्ञान बढ़ाते थे ।।27।।

सायं की शाखा जाकर के
बाल बैठकों में जाते
वाद-विवाद विचारों से
अनुभव पाते अपनाते ।।28।।

पाठ वहाँ से जाकर सीखा
देशभक्ति अनुशासन का
बने प्रचारक पूर्ण रूप से
त्याग करें सुख जीवन का ।।29।।

ज्ञान-पिपासा लेकर उर में
सन्यासी के पास गये
गीता ज्ञान करा दें मुझको
कहकर उनके पाँव छुए ।।30।।

बीर, साहसी ही होते हैं
सही ज्ञान के अधिकारी
कसरत कर बलवान बनो तुम
अर्जुन सदृश धनुर्धारी ।।31।।

सन्यासी से मिली प्रेरणा
एन.सी.सी. में भी जाते
देशभक्ति, अनुशासन का
सैनिक-सा अनुभव पाते ।।32।।

पूज्य विवेकानन्द ग्रन्थ सब
बड़े चाव से पढ़ते थे
सब महान पुरूषों के
आदर्शों से जीवन गढ़ते थे ।।33।।

गाँव समीप झील थी उसमें
घर के कपड़े धो लाते
तैराकी में बड़े निपुण थे
स्नान वहीं पर कर आते ।।34।।

मोदी के साहस की चर्चा
बड़नगर गाँव में होती है
आँखों में चमक देख भाल से
आभाषित प्रिय ज्योती है ।।35।।

झील मध्य चटट्टान, थी जिस पर
मन्दिर लगा पताका था
सभी उत्सवों, त्योहारों पर
उसको बदला जाता था ।।36।।

भारी वर्षा हुई उस बरस
बढ़ा झील का भी पानी
झूमे मगरमच्छ मस्ती में
डरा रही थी शैतानी ।।37।।

कैसे बदली जाए पताका
सोच यही सब करते थे
असमंजस में तीर खड़े सब
मगरमच्छ से डरते थे ।।38।।

असमंजस के बीच वहाँ पर
किशोर नरेन्द्र आते हैं
कहा, पताका हम को दे दें
हमीं लगाने जाते हैं ।।39।।

खड़े तीर पर भय से काँपें
साथी शोर मचाये थे
ढ़ोल, नगाड़ा बजा सभी
मगरों का ध्यान बटाए थे ।।40।।

कूद झील में डुबकी मारी
सबका दिल दहलाए हैं
पहुँचे मंदिर बदल पताका
लौट वहाँ फिर आए हैं ।।41।।

देख किशोर साहसी आया
सभी वहाँ हर्षाये हैं
करतल ध्वनि कर स्वागत करके
सीने से चिपकाये हैं ।।42।।

सभी चमत्कृत थे साहस से
पर माँ का दिल घबड़ाया
क्या नरेन्द्र छोड़ेगा घर को
सोच कंपी उनकी काया ।।43।।

बालक के सुख–दुख का माँ को
ज्ञान पूर्व ही हो आता
दूर पास या जहाँ कहीं हो
आभासित मन छू जाता ।।44।।

मगर का बच्चा लेकर के
एक दिवस घर पर आए
चकित हुई सी माँ ने पूछा
इसे यहाँ क्यों तुम लाये ।।45।।

इसको पालूँगा मैं माता
सुत ने उन्हें बताया है
पर इसकी माँ बिन बेटे के
रोयेगी समझाया है ।।46।।

माँ की ममता समझी है जब
छोड़ झील में आए हैं
माँ से पाए संस्कार को
जीवन भर अपनाये हैं ।।47।।

वहीं बड़नगर के समीप
कुछ मुस्लिम भाई रहते थे
मेलजोल अच्छा नरेन्द्र से
उन्हें दोस्त सब कहते थे ।।48।।

मुस्लिम जलसों में नरेन्द्र जा
उनके साथ मनाते थे
साथी मित्र उन्हें बहुतेरे
एन. डी. नाम बुलाते थे ।।49।।

वाद-विवाद, कहानी, नाटक
सब में भाग लिया करते
स्वर, लय बद्ध भजन गा करके
सबको मुग्ध किया करते ।।50।।

5

परिवर्तन

उन्नीस सौ बासठ चीन युद्ध
ने भारत को चौंकाया
साम्यवादी विचारधारा का
सत्य समझ सबकी आया ।।1।।

हिन्दी-चीनी भाई-भाई
में आयी गहरी खाई
नेहरू नीति हुई निष्फल
बनी राष्ट्र को दुखदायी ।।2।।

पर बालक नरेन्द्र के मन में
इसने जोश जगाया है
सैनिक स्कूल में पढ़ने का
भाव हृदय में आया है ।।3।।

किन्तु व्यय वहन की क्षमता
नहीं पिताजी में पाते
था सुदूर सैनिक विद्यालय
कौन व्यवस्था से जाते? ।।4।।

सन् पैंसठ में पाक युद्ध
सैनिक ट्रेनों से जाते थे
मित्रों के संग स्वागत करके
उनको चाय पिलाते थे ।।5।।

सैनिक स्वयं न बन पाने की
कुंठा हृदय समाई थी
इसी तरह सम्मान सैनिकों
का कर, की भरपाई थी ।।6।।

बाल्य अवस्था में नरेन्द्र का
परिजन ब्याह रचाये थे
पास गाँव की आनंदी बेन
से संबंध कराये थे ।।7।।

समाचार को देने वाले
दो मुँह के हो जाते हैं
बाल विवाह की करें वर्जना
मोदी का सही बताते हैं ।।8।।

सत्रह वर्ष के नरेन्द्र की
बात सगाई की आई
पन्द्रह वर्षीय यशोदा बेन
दुल्हन उनको दिखलाई ।।9।।

प्रथम और आखिरी मिलन में
उनकी उन पर दृष्टि पड़ी
अपने पथ पर बढ़ते जाते
जुड़ी मात्र सद्भाव कड़ी ।।10।।

नरेन्द्र नहीं विवाह करेंगे
यशोदा ने जब जाना है
पति पथ में बाधक बनना फिर
उचित न उनने माना है ।।11।।

बनी शिक्षिका अविवाहित
जीवन पथ को स्वीकार किया
कहीं विवाह न फिर करने का
जीवन का व्रत ठान लिया ।।12।।

उनका पति बने प्रधानमंत्री
तीर्थ देव स्थान गईं
प्रभु ने सुनी प्रार्थना उनकी
जग में फैली कीर्ति नई ।।13।।

कठिन प्रचारक जीवन होता
सत्य समझ जब आया है
तेल, नमक, भोजन से त्यागा
संयम यह अपनाया है ।।14।।

घरवालों ने कारण पूछा
सबको सत्य बताया है
कठिन प्रचारक जीवन होता
उनको ज्ञान कराया है ।।15।।

लक्ष्मण-राव से मिली प्रेरणा
संघ प्रचारक बनने की
जिससे कभी न आया मन में
बंधन विवाह के बंधने की ।।16।।

शादी करने का विचार
फिर कभी न मन में आया है
तप करने जा रहा हिमालय
सबको यह बतलाया है ।।17।।

मातु-पिता से भी नरेन्द्र ने
विनती हाथ जोड़कर की
भारत-माता की सेवा निज-
माँ से हृदय मोड़कर की ।।18।।

माता-पिता ने भी सोचा
जो पाना चाहे पाने दो
जाना ही यह चाह रहा है
तो इसको अब जाने दो ।।19।।

बहुत पसंद कंसार मिठाई
माँ ने बना खिलाया है
ज्ञान नेत्र इसका खुल जाये
माथे तिलक लगाया है ।।20।।

कंधे पर थैला लटकाये
उसमें कुछ सामान लिए
घर से बाहर निकल पड़े वे
सन्यासी सा ध्यान किये ।।21।।

व्यापारी का तेल कनस्तर
उठा-उठा कर रखते थे
जो अतिरिक्त मिलते थे पैसे
उसे बचाया करते थे ।।22।।

उन पैसों से ही कुछ दिन का
अपना काम चलाए हैं
खत्म हुआ तो भिक्षाटन से
आगे कदम बढ़ाए हैं ।।23।।

उभय वर्ष सन्यासी जीवन
सिद्ध योगियों पास गये
अद्भुत प्रतिभा जिसने देखी
दीक्षा इनको नहीं दिए ।।24।।

स्वामी आत्मास्थानंद जी
राजकोट मिशन सन्यासी
दृष्टि पड़ी अंतर्मन झाँका
झलकी अद्भुत प्रतिभा सी ।।25।।

कहीं और है भाग्य तुम्हारा
सन्यास नहीं ले पाओगे
वहीं मिलेगी तुम्हें सफलता
अपना पथ अपनाओगे ।।26।।

सन्यासी पथ छोड़ बढ़ो तुम
भारत तुम्हें पुकार रहा
करो देश की सेवा जाकर
सबने उनसे यही कहा ।।27।।

पूर्वोत्तर, बंगाल, हिमालय
मठ, देवालय भ्रमण किया
रुक-रुक कर कुछ समय वहाँ पर
जो भी पाया ज्ञान लिया ।।28।।

नरेन्द्र में आया परिवर्तन
फिर गुजरात लौट आये
समाचार अपने आने का
नहीं किसी को बतलाए ।।29।।

बहन बसंती ने पहचाना
भाई द्वारे आया है
शोर मचाया भाई आया
माँ को तुरत बताया है ।।30।।

बेटा आया है यह सुनकर
माता दौड़ी आयी है
दोनों बाहें फैलाकर के
सीने से चिपकाई है ।।31।।

कृश तन, दाढ़ी में देखा सुत
अश्रु नयन में भर आये
बेटा आने के सुख से वह
नहीं आँख से गिर पाये ।।32।।

दो वर्षों तक कहाँ रहा है
माँ की याद नहीं आयी
कहकर गया हिमालय जाता
यही बात थी बतलाई ।।33।।

सब्जी-रोटी सादा भोजन
माँ हाथों का खाऊँगा
जाता हूँ मिलने शाखा में
शीघ्र लौटकर आऊँगा ।।34।।

माँ ने देखा थैले में वह
साथ लिए क्या आया है
जोड़ी वस्त्र, शाल, नेकर
माँ की फोटो पाया है ।।35।।

मानो सम्बल थी माँ फोटो
उनके साथ सदा रहती
सबसे प्यारी चाह हृदय में
माँ की ममता ही लगती ।।36।।

दो वर्षों के कठिन समय तक
कैसे कहाँ रहा होगा
बस इतना सामान साथ में
कितना कष्ट सहा होगा ।।37।।

सोचा मधुर स्वाद का भोजन
सुत के लिए बनाऊँगी
पर वह सादा भोजन करता
उसको वही खिलाऊँगी ।।38।।

एक दिवस ही रुक करके वे
घर से बाहर चले गये
ध्यान सदैव लगा रहता था
सन्यासी ने शब्द दिए ॥39॥

उन्नीस सौ उनहत्तर का शासन
गुजरात दंगा भेंट चढ़ा
उस समय प्रशासन ने इसका
दोष संघ के माथ मढ़ा ॥40॥

न्यायिक जाँच का निर्णय आया
निर्दोष संघ को न्याय मिला
संघ से राहत मिली प्रशंसा
पीड़ित जो समुदाय मिला ॥41॥

देश सेवा है धर्म हमारा
नरेन्द्र ने यही विचारा है
फिर से लक्ष्मण राव पास जा
संघ मंत्र उच्चारा है ॥42॥

हेडगेवार भवन जाकर के
सारा काम संभाला है
आँखों के तारे थे सबके
ऐसा निज को ढ़ाला है ॥43॥

बड़े सबेरे उठकर दैनिक
चर्या में लग जाते थे
प्रातः स्मरण के बाद सभी को
बढ़िया चाय पिलाते थे ।।44।।

बर्तन धोकर शाखा जाते
आ नाश्ता बनाते थे
कार्यालय में जो भी रहते
सबको स्वंय खिलाते थे ।।45।।

नौ कमरों की करें सफाई
झाडू-पोंछा करते थे
अपने, लक्ष्मण राव के कपड़े
प्रतिदिन धोया करते थे ।।46।।

स्नान आदि के बाद समय वे
जो भी पाया करते थे
इम्तिहान के लिए किताबें
अपनी पढ़ते रहते थे ।।47।।

रात्रि-दोपहर के भोजन की
निश्चित जगह न रहती थी
स्वंय सेवकों की माँ-बहनें
बुला व्यवस्था करती थीं ।।48।।

अनुभवी थे लक्ष्मण राव जी
दूर दृष्टि भी रखते थे
स्वयं सेवकों में प्रतिभा प्रेरणा
सदैव भरते रहते थे ।।49।।

करो पढ़ाई आगे अपनी
आज्ञा ऐसी दी उनको
सीखो सब इतिहास, संस्कृत
संयम से बाँधो मन को ।।50।।

गुजरात राज के विद्यालय से
एम. ए. की डिग्री पाई है
सन तिरासी की परीक्षा में
श्रेणी प्रथम आई है ।।51।।

जो भी करते काम सभी वो
निष्ठापूर्वक करते थे
छोटा-बड़ा काम कैसा भी
सदा समर्पित रहते थे ।।52।।

6

आपात काल

उन्नीस सौ पचहत्तर काला दिन
पच्चीस जून आया था
हार बचाने हित इन्दिरा ने
आपात काल लगाया था ।।1।।

जहाँ विरोधी जो भी पाये
जेलों में सबको डाला
किन्तु प्रचारक पकड़ न पाये
कठिन पड़ा उनसे पाला ।।2।।

लक्ष्मण राव ने नरेन्द्र की
प्रतिभा पाई निखार है
गुजरात समिति के महासचिव का
इसलिए दिया पद भार है ।।3।।

खतरनाक गुजरात राज कह
इन्दिरा ने सबको बहकाया
संघ कार्यालय शस्त्र बनाते
यह झूठा आरोप लगाया ।।4।।

आर. एस. एस. राह का काँटा
उस पर रोक लगाया है
मिला संघ का यदि अधिकारी
उसको जेल भिजाया है ।।5।।

रहे भूमिगत सिक्ख सरीखा
अपना भेष बनाया है
नरेन्द्र किसी वाहन से चलते
कोई पकड़ न पाया है ।।6।।

यदि अधिकारी कहीं दिखा
सुरक्षित जगह बताते थे
बैठाकर स्कूटर पर ही
सही जगह पहुँचाते थे ।।7।।

प्रजातंत्र पर खतरा आया
इसको हमें बचाना है
विश्वास भरोसा जिन पर हो
उन्हें साथ में लाना है ।।8।।

संगठित समूह किया ऐसा
जो नहीं कहीं भी डरते हों
जैसी, जहाँ जरूरत आये
कार्य सभी कर सकते हों ।।9।।

सभी व्यवस्था उसकी करते
जिसे शरण में पाते थे
प्रियजन से पैसे ले करके
सभी प्रबंध कराते थे ।।10।।

जो भी अधिकारी बन्दी होता
सम्पर्क सभी से कर लेते
किसी स्वयं सेवक का रिश्ता
मिलने को बनवा देते ।।11।।

जो सामान गुप्त बन्दी से
पुलिस पकड़ में आ जाते
उनको चकमा दे करके वे
दस्तावेज उठा लाते ।।12।।

ट्रेन, विमान में गुप्त रीति से
पर्चे छपा, छिपा आते
इन्दिरा गाँधी की सच्चाई
सब विदेश तक पहुँचाते ।।13।।

यू. के. में मकरन्द देसाई
के सम्पर्क में वे आए
बना पत्र व्यवहार माध्यम
समाचार सब भिजवाये ।।14।।

पत्र सत्यवाणी देसाई जी
यू. के. में छपवाते थे
पाते समाचार मोदी से
पूरे जग फैलाते थे ।।15।।

गुप्तचरों ने इन्दिरा जी को
सारा सत्य बताया है
सकल विश्व में बदनामी का
उन्हें ज्ञान कराया है ।।16।।

प्रजातांत्रिक देशों में वे
अलग-थलग पड़ जायेगी
यदि भारत में बहुत शीघ्र
नहीं चुनाव करायेंगी ।।17।।

हुई इन्दिरा विवश बहुत
आपात काल उठा लिया
बाध्य किया जनमत ने यूँ
घोषित चुनाव करा दिया ।।18।।

विश्व मीडिया ने सच बातें
इमरजेंसी की जानी
बनकर तानाशाह इन्दिरा
ने कैसी की मनमानी ।।19।।

सकल विश्व में बदनामी का
इन्दिरा को जब ज्ञान हुआ
इमरजेंसी के इस युग का
नहीं कहीं सम्मान हुआ ।।20।।

हुआ चुनाव इन्दिरा हारी
तब सरकार नई आई
नई व्यवस्था के आने से
जनता ने राहत पाई ।।21।।

टूट-टूट सब बिखर गए जो
भिन्न विचारों से आए
जैसी-करनी, वैसी भरनी
सब परिणाम यहीं पाए ।।22।।

अनुशासन यदि उनमें होता
बिखर नहीं वे सब जाते
सत्ता लोलुपता ही जिनमें
साथ कहाँ वे रह पाते ।।23।।

इन्दिरा ने इस कमजोरी का
लाभ उठाया फिर आगे
लालच सत्ता का पा टूटे
हाँफ-हाँफ कर सब भागे ।।24।।

आपात काल में कुन्दन सा
संघ निखर करके आया
सबने माना देशभक्त यह
है निर्मल इसकी काया ।।25।।

7

प्रचारक

नरेन्द्र की नेतृत्व शक्ति को
नेताओं ने पहचाना
दूर-दृष्टि आपात काल की
क्षमता को सबने माना ।।1।।

था दायित्व प्रचारक का
कार्य भार बढ़ता जाता
एक राज्य से राज्य दूसरे
का ज़ुड़ जाता था नाता ।।2।।

बने प्रचारक दौरे करते
बस अनवरत सदा चलते
यात्रा या विश्राम क्षणों में
लेखन कार्य किया करते ।।3।।

मोदी दन्तो पंत ठेंगड़ी जी
आपातकाल मिलते थे
वरिष्ठ नेता ने पहचाना
सार भरा वे लिखते थे ।।4।।

वहीं ठेंगड़ी जी ने मोदी को
दिल्ली में बुलवाया है
शोध करो आपातकाल पर
लिखो, काम बतलाया है ।।5।।

अट्ठाइस वर्ष के नरेन्द्र की
दिनचर्या कुछ कठिन बनी
व्यस्त प्रचारक थे पहले से
अब लेखन की तान तनी ।।6।।

इसी तरह गुजरात राज पर
पुस्तक था संकलित किया
पूर्ण देश पर और दूसरी
लिखने का संकल्प लिया ।।7।।

वरिष्ठ की आज्ञा का पालन
दिल्ली उनको आना था
साथी से पाया आश्वासन
उनके घर रुक जाना था ।।8।।

लेखन कार्य सही कर पायें
जगह–जगह वे जाते थे
साक्षात्कार दस्तावेजों से
अपना ज्ञान बढ़ाते थे ।।9।।

अनुशासन हैं अमोघ अस्त्र
अनुभव से है जान लिया
जनता के हित में करना कुछ
शस्त्र इसे ही मान लिया ।।10।।

सबका हो विकास कैसे यह
चिन्तन करते रहते थे
भारत में ही बने सभी कुछ
दिल–दिमाग में रखते थे ।।11।।

निगम चुनाव सत्तासी में
अहमदाबाद में आया था
मोदी जी ने इसे जीतने का
संकल्प बनाया था ।।12।।

कार्यकर्ता की समिति बनाकर
सबको कार्य बताया था
कौशल से भाजपा बढ़ी थी
भारी बहुमत पाया था ।।13।।

उम्र भले छत्तीस वर्ष की
पर लोहा सबने माना
मोदी की संगठन शक्ति को
आडवाणी जी ने जाना ।।14।।

8

राजनैतिक संघर्ष

आर.एस.एस. ने हर क्षेत्र में
अलग संगठन बनाया है
राजनीति में जनसंघ बदला
भाजपा नाम आया है ।।1।।

कुशल नेतृत्व क्षमता वाले
राजनीति में आते हैं
आडवाणी जी इसी तरह
मोदी को अपनाते हैं ।।2।।

गुजरात का सन सत्तासी में
संगठन सचिव बनाया है
इस तरह से राजनीति में
उनका प्रवेश कराया है ।।3।।

गुजरात राज में न्याय यात्रा
मोदी ने करवाया है
कठिन परिश्रम करके इसको
गाँव-गाँव पहुंचाया है ।।4।।

विवेक, गाँधी, दीनदयाल
विचार हृदय में लाए हैं
उनको ही आदर्श मानकर
आगे कदम बढ़ाये हैं ।।5।।

आडवाणी की रथ यात्रा का
पूरा प्रबंध बनाया है
बीच रास्ते वरिष्ठ जनों ने
गुजरात उन्हें बुलाया है ।।6।।

इक्कानवे की एकता यात्रा
जोशी ने की तैयारी
कन्या कुमारी से कश्मीर तक
सैंतालिस दिन रहा भारी ।।7।।

इस कठिन यात्रा का मोदी ने
पूरा प्रबंध संभाला है
अपनी नेतृत्व क्षमता से
जोश सभी में डाला है ।।8।।

पृथकता वादी कश्मीर में
भारत ध्वजा जलाते थे
पाकिस्तान का नये वर्ष में
झंडा वे फहराते थे ।।9।।

धमकी उनकी आती रहती
तिरंगा जो फहरायेगा
हम अलगाव वादी हाथों
अपनी मौत बुलायेगा ।।10।।

सेकुलर वादी इनके आगे
नहीं बोल कुछ पाते हैं
देशभक्त जो करें सामना
कम्यूनल उन्हें बताते हैं ।।11।।

जोशी जी और नरेन्द्र ने
अपने मन में ठान लिया
तिरंगा हम फहरायेंगे
चुनौती यह स्वीकार किया ।।12।।

एम.एम. जोशी को भारत की
सत्ता ने आगाह किया
सुरक्षा उचित न मिल पायेगी
जाए नहीं सुझाव दिया ।।13।।

मातृभूमि के लिए समर्पित
त्यागी आगे बढ़ आये
कश्मीर के लाल चौक पर
राष्ट्र ध्वजा है फहराये ।।14।।

लेकर जान हथेली पर जो
आगे बढ़ते जाते हैं
उनके आगे दुश्मन झुकता
गौरव देश बढ़ाते हैं ।।15।।

दोनों वीरों को सभी जगह
स्वागत और सम्मान मिला
उनके साहस, निडर कर्म से
देश भक्त का हृदय खिला ।।16।।

साहस भरी सफलता लेकर
गुजरात लौट आये हैं
सम्मान के बदले मोदी जी
अपमान यहाँ पाये हैं ।।17।।

शंकर सिंह बघेला दिल
आई कुटिल कहानी है
मोदी जी का कद बढ़ा देख
हुई उन्हें हैरानी है ।।18।।

मोदी के अथक परिश्रम से
गुजरात में सरकार बनी
इसका श्रेय मिला मोदी को
बाघेला की भौंह तनी ।।19।।

श्रम–शक्ति सफलता से मोदी की
बाघेला बहुत घबराये
संगठन से अलग कर उनको
दिल में राहत थे पाये ।।20।।

अपमानित होकर भी नरेन्द्र
विचलित नहीं हो पाये हैं
पाँच राज्यों के चुनाव में
ऊर्जा पूर्ण लगाये हैं ।।21।।

मोदी की कार्य कुशलता से
परिणाम निकल आया है
चुनाव में मिली सफलता ने
उनका मान बढ़ाया है ।।22।।

प्रतिशोध नहीं सृजन करेंगे
मोदी ने मन में ठाना है
विद्यालय एक स्थापित करना
सम्मान गुरू का माना है ।।23।।

सन बानवे में संस्कार धाम
विद्यालय बनवाया है
अहमदाबाद में स्थापित कर
ऊर्जा पूर्ण लगाया है ।।24।।

गुरू के प्रति सम्मान भरा था
श्रद्धांजलि यही दे पाये
संस्कार पाया था उनसे
संस्कार धाम बनवाये ।।25।।

छः जून उन्नीस सौ बानवे
विद्यालय स्थापना हुई
संस्कार मिलेगा बच्चों को
उनकी पूर्ण कामना हुई ।।26।।

सन चौरानवे में आडवाणी ने
गुजरात पुनः भेजा है
मोदी को महासचिव बना
कठिन काम सहेजा है ।।27।।

सन् पच्चानवे के चुनाव में
मोदी तन-मन से डूब गये
दो-तिहाई बहुमत ला करके
छुए सफलता शिखर नये ।।28।।

मुख्यमंत्री पद पाने बघेला
कुछ भी कर सकते थे
पार्टी छोड़े या करें नष्ट
तैयार सदा रहते थे ।।29।।

केशू भाई बने मुख्यमंत्री
बघेला सहन न कर पाये
विद्रोह ऐसा कर डाला
केशू जी गये हटाये ।।30।।

समझ लिया मोदी के आगे
नहीं कहीं टिक पायेंगे
इसीलिए अपना अस्तित्व
अलग कहीं बनायेंगे ।।31।।

भाजपा के टुकड़े कर डाले
बघेला खजुराहो आए
भाजपा की साख बचाने को
मोदी इस्तीफा पहुँचाए ।।32।।

गुजरात छोड़ने से मोदी के
शांति नहीं है आ पाई
केशू बघेला की बदली बारी
सुरेश मेहता की आई ।।33।।

मेहता के मुख्यमंत्री बनते ही
बगावत वहाँ हुई भारी
राष्ट्रपति शासन लगा राज्य में
हुई वहाँ थी गद्दारी ।।34।।

काग्रेस समर्थन से बाघेला ने
राष्ट्रपति शासन हटवाया
क्षणिक सफलता मिली उन्हें
मुख्यमंत्री की कुर्सी पाया ।।35।।

भ्रष्टाचार के आरोपों में
बाघेला भी चले गये
साथी ने तब तक कुर्सी पाई
जब तक हुए चुनाव नये ।।36।।

बाघेला ने नाटक छोड़ा
काँग्रेस की बांह गए
अपनी मातृ संस्था से
नाता तोड़ा दूर हुये ।।37।।

उन्नीस सौ अठ्ठानवे के चुनाव
भाजपा वापस आई है
पूर्ण बहुमत पाकर के
सरकार पुनः बनाई है ।।38।।

मुख्यमंत्री की कुर्सी पुनः
केशू भाई ने पाई
संभाल न पाये त्रासदी को
भूकंप बाढ़ से आई ।।39।।

उन्नीस सौ निन्नानवे मोदी को
पार्टी प्रवक्ता बनाया है
विदेशी दौरों पर जाने का
अच्छा अवसर पाया है ।।40।।

विदेशी दौरों से जाना
कैसे विकसित देश हुए
भारत क्यों न बढ़ पाया
इजराइल देखा शिखर छुये ।।41।।

चालीस से ज्यादा देशों की
यात्राएं कर डाली हैं
अनुभव उनसे पाया इनने
खुशियाँ कैसे पाली हैं ।।42।।

प्रवक्ता थे पत्रकारों के
प्रश्नों का उत्तर देते थे
प्रश्न कटीले कितने भी हों
संतुष्ट उन्हें कर लेते थे ।।43।।

केशू बघेला अहं भाव ने
वर्चस्व लड़ाई छेड़ा था
भाजपा का गुजरात राज में
हो गया गर्क बेड़ा था ।।44।।

अकुशल शासन ने पार्टी की
छवि को क्षति पहुँचाई है
जहाँ कहीं भी हुए चुनाव
हार सभी में पाई है ।।45।।

भाजपा के सम्मुख प्रश्न खड़ा
कैसे गुजरात की रक्षा हो
मिले शासक वहाँ जिसका
अनुशासित जीवन सच्चा हो ।।46।।

कुशल संगठन क्षमता जिसमें
कर्म समर्पण का भाव भरा
अनुभव, देशभक्ति की जिसमें
चिन्तन शील हो रहे खरा ।।47।।

उपरोक्त सभी गुण मोदी में
वरिष्ठ जनों ने है पाया
सबकी जिह्वा पर उनका ही
नाम निकल करके आया ।।48।।

अटल, आडवाणी ने मोदी की
कार्य-कुशलता जाना है
बने गुजरात के मुख्यमंत्री
उचित उन्होंने माना है ।।49।।

अटल जी ने फोन किया उनको
अपने पास बुलाया है
शव यात्रा में आया हूँ मैं
मोदी ने बतलाया है ।।50।।

अटल जी से मोदी मिलने
शीघ्र पास में आए हैं
अभिवादन करके खड़े हुए
उनको पास बिठाए हैं ।।51।।

गुजरात शीघ्र ही तुम जाओ
कार्य वहाँ पर करना है
मुख्यमंत्री पद भार संभालो
यही हमारा कहना है ।।52।।

लेकिन मैं तो छः वर्षो से
दूर वहाँ से रहता हूँ
वहाँ समस्या क्या कैसी है
उनको नहीं समझता हूँ ।।53।।

आडवाणी जी का फोन मिला
सबका निर्णय आया है
गुजरात के मुख्यमंत्री लायक
योग्य तुम्हीं को पाया है ।।54।।

बड़ों की आज्ञा शिरोधार कर
गुजरात लौट आये हैं
स्वागत सत्कार मिला वहाँ पर
प्यार सभी का पाए हैं ।।55।।

बालक नरेन्द्र

युवा कैडेट नरेन्द्र

सत्य साँई बाबा के साथ

अमृतानंदमयी (अम्मा) के साथ

सन्यासी के रूप में

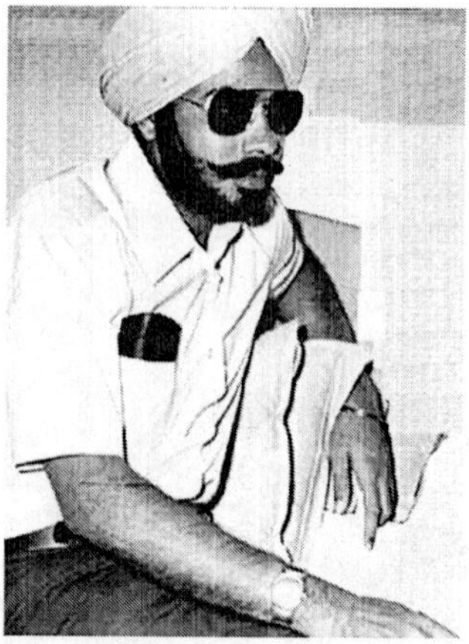

आपात काल के दौरान

प्रचारकों के साथ

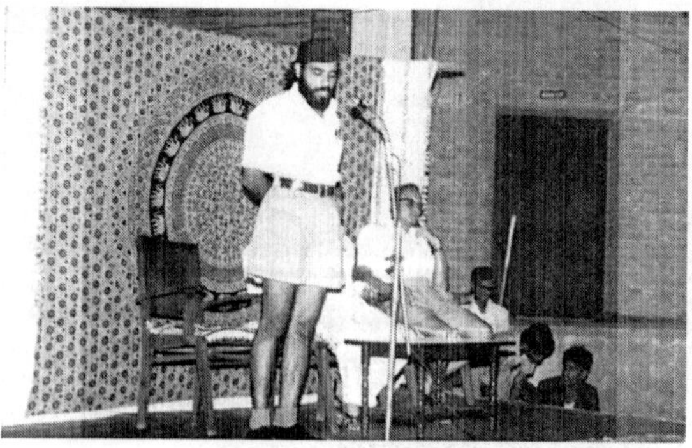

स्वयंसेवकों को संबोधन

वैचारिक मुद्रा में

मुख्यमंत्री के रूप में शपथ लेते हुए

मुख्यमंत्री कार्यालय में

श्री श्री रविशंकर के साथ

लेखन कार्य करते हुए

अक्षरधाम मंदिर में

अटल जी से विचार विमर्श करते हुए

अटल जी से आशीर्वाद लेते हुए

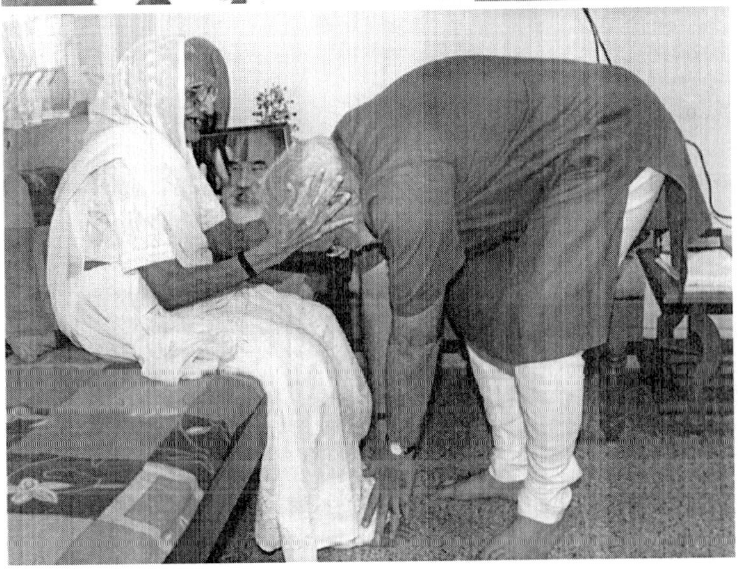

अपनी माता (हीराबेन मोदी) का आशीर्वाद लेते हुए

संसद लोकतंत्र का मंदिर

प्रधानमंत्री की शपथ लेते हुए

9

मुख्यमंत्री

सात अक्टूबर दो हजार एक
दिन रविवार शुभ आया है
समारोह करके मोदी को
सी.एम. शपथ दिलाया है ।।1।।

प्रचारक रहते गुजरात के
कोने-कोने जाते थे
जमीनी हकीकत का परिचय
घर-घर से वे पाते थे ।।2।।

विचारधारा कोई कैसी हो
अधिक दिनों न रहती है
विकास कार्य में सदा सर्वदा
निर्मल गंगा बहती है ।।3।।

इसीलिए विकास कार्य को
अपना धर्म बनाया है
भूकंप बाढ़ से तबाह हुए को
लक्ष्य सृजन अपनाया है ।।4।।

मुख्यमंत्री बनते ही तुरंत
आए माँ के पास मिले
सम्मान लिए है बेटा आया
देखा उनके अधर खिले ।।5।।

बेटे ने माँ के पाँव छुए
माँ ने आशीर्वाद दिया
रिश्वत कभी न लेना बेटा
कहकर उनसे वचन लिया ।।6।।

माँ का आशीर्वाद ह्रदय से
बेटे ने है मान लिया
उजली चादर ओढ़ी तन पर
पूरा ही बेदाग किया? ।।7।।

माँ से मिले बाद मोदी जी
अटल जी से गए मिले
गुजरात की काया बदलो ऐसी
जन–जन अधर मुस्कान खिले ।।8।।

नक्सली वहाँ न पनप पाए
क्या कुछ सोचा है तुमने
आदिवासी क्षेत्रों का विकास
उपाय माना है हमने ।।9।।

महाराष्ट्र, आन्ध्र वहीं पास में
नक्सली पैर जमाये हैं
लेकिन गुजरात में कहीं भी
नहीं कभी टिक पाये हैं ।।10।।

गरीबी, अशिक्षा, अभाव जहाँ
नक्सली वहीं पनपते हैं
विकसित क्षेत्रों में कोई भी
इनकी बात न सुनते हैं ।।11।।

चौबीस फरवरी दो हजार दो
जीता चुनाव विधायक का
पच्चीस फरवरी को वैधानिक
पद-भार लिया सी.एम. का ।।12।।

सिर मुंडाते ओले पड़ना
यह कहावत चरितार्थ हुई
गोधरा की अमानुष घटना
शैतानों की घात हुई ।।13।।

पूर्व नियोजित थी घटना
सत्ताइस फरवरी सुबह घटी
पेट्रोल–डीजल तलवारें ले
दो हजार की भीड़ डटी ।।14।।

अयोध्या से साबरमती ट्रेन
गोधरा स्टेशन आती है
रुकते ही दुष्टों की टोली
वहीं ट्रेन चढ़ जाती है ।।15।।

कुछ ही आगे बढ़ी ट्रेन
पत्थर बरसने लगते हैं
मुसलमान वहीं किनारे पर
बहुतायत में रहते हैं ।।16।।

चेन खींच दी रुकी ट्रेन ज्यों
झट भीड़ घेर लेती है
गार्ड बढ़ा ठीक करे ब्रेक
उसे न जाने देती है ।।17।।

मारो, काटो, जला दो हिन्दू
कोई कहीं न बच पाए
इस्लाम खतरे में शोर मचा
लाउड स्पीकर चिल्लाए ।।18।।

घिरे तीर्थ यात्री बच पाए
खिड़की अपनी बन्द किये
पत्थरों से शीशे तोड़े जला
कपड़े एसिड डाल दिये ।।19।।

अन्दर से दरवाजा खुले नहीं
बाहर से ही बाँध दिया
हत्यारे थे हत्या करना ही
दिल दिमाग में ठान लिया ।।20।।

एस सिक्स की पूरी बोगी
ज्वलन डाल जलाया है
जले-मरे कुछ बच कर भागे
उनको मार गिराया है ।।21।।

कुछ डिब्बों के नीचे छुप
अपनी जान बचाए हैं
भीड़ हटी तो बच भागे वे
घटना सत्य बताये हैं ।।22।।

छः राजनीतिक जो मानव दुश्मन
पूर्व योजना बनाई थी
ढोंगी सेकुलर साथी चोला
पहने आग लगाई थी ।।23।।

छब्बीस महिलाएँ, बारह बच्चे
उनसठ जल कर खाक हुए
तीर्थ यात्रा से जीवित लौटै
मरकर साबरमती गये ।।24।।

पाँच घंटे साबरमती ट्रेन
देर सूचना थी आई
भीड़ कम इसलिए हुई है
पूरी ट्रेन न जल पाई ।।25।।

दमकल कर्मचारी आए देखा
कोई दमकल ठीक नहीं
किसी की प्लेटें निकली हैं
नट बोल्ट नहीं दिखे कहीं ।।26।।

कर रहे थे दमकल ठीक तभी
सूचना वहाँ आई है
गोधरा के आगे खड़ी ट्रेन
भीड़ ने आग लगाई है ।।27।।

दमकल न घटना स्थल पहुंचे
भीड़ सामने आई है
राजनीति प्रेरित हाजी विलाल ने
रोको आवाज लगाई है ।।28।।

दो चार दिनों से वे नेता
फायर स्टेशन आते थे
कारण पूछा तो देखने
टेलीविजन बताते थे ।।29।।

दूसरी भीड़ ने दमकल पर
पत्थर-ईंट चलाया है
फिर भी ड्राईवर रुका नहीं
घटना तक पहुँचाया है ।।30।।

दमकल पहुँची घटना स्थल
धू-धू बोगी जलती थी
आँसू गोले, गोली चलती
भीड़ तभी सब हटती थी ।।31।।

जीवित वहाँ मिले बचे जो
अस्पताल पहुँचाया है
राक्षसी वृत्ति होती कैसी
दृश्य सामने आया है ।।32।।

सूचना मुख्यमंत्री ने पाई
सक्रिय शीघ्र हो जाते हैं
आपातकालीन कैबिनेट की
बैठक तुरत बुलाते हैं ।।33।।

पूरे राज्य को सचेत किया
रक्षक थे या रखवाले
छुट्टियाँ सभी की रद्द हुई
शासक सभी पुलिस वाले ।।34।।

जो भी साधन मिला उसी से
गोधरा लौट आते हैं
जैसे देखा दृश्य वहाँ का
हत्प्रद वे हो जाते हैं ।।35।।

तुरंत संभाल लिया अपने को
दृढ़ता मन में लाते हैं।
कर्ता-धर्ता शासक मुखिया मैं
अपने को समझाते हैं ।।36।।

दृश्य देखते ही समझ गये
है घटना विनाशकारी
संप्रदाय या आतंक नहीं
षड़यंत्र यहाँ हुआ भारी ।।37।।

इसके आगे कल क्या होगा
मुख्यमंत्री ने सच जाना है
केंद्र से फोर्स आये शीघ्र
उचित उन्होंने माना है ।।38।।

सत्ताइस फरवरी की घटना
परिणाम समझ आया है
आर.ए.एफ (सी.पी.एम.एफ) की
केन्द्र से फोर्स मँगाया है ।।39।।

इसके बाद विभिन्न साधनों से
गाँधी नगर आए हैं
छः हजार पुलिस कर्मियों संग
बल तैनात कराए हैं ।।40।।

जिला न्यायाधीश की सलाह
मोदी ने उचित मान लिया
आधी रात अहमदाबाद में
शव परिजनों को सौंप दिया ।।41।।

प्रतिक्रिया हिन्दुओं मे न हो पाए
मोदी ने पूर्ण प्रयास किया
उनसठ हिन्दुओं की निर्मम हत्या
ने हिन्दू रक्त उबाल दिया ।।42।।

क्रिया की प्रतिक्रिया होती है
विज्ञान नियम कहता है
आग लगाकर दुष्ट भागते
निर्दोष उसी मे जलता है ।।43।।

पाक की चालों से तनाव
पूरे सैनिक सीमा पर
इसलिए नहीं वे आ सकते
निराश नहीं उत्तर पाकर ।।44।।

गृहमंत्री आडवाणी को
पूर्ण सूचना पहुंचाया
सेना शीघ्र दें जिससे
जाए गुजरात बचाया ।।45।।

गोधरा से दस तीस पर वे
गाँधी नगर लौट आए
मुख्यमंत्री निवास पर शीघ्र
वे शासक सभी बुलाए ।।46।।

शान्ति कैसे आए प्रदेश में
सबने उचित विचारा है
दिखे दंगाई मारो, पकड़ो
और न कोई चारा है ।।47।।

तीसरे दिन ही शन्ति व्यवस्था
पूरे प्रदेश में छाई है
लेकिन सेकुलर वादी धड़ ने
अशान्ति बड़ी पाई है ।।48।।

मन्दिर-मस्जिद, गुरुद्वारे की
क्षति न कोई हो पाए
सुरक्षा सबकी कड़ी करो
वहाँ न कोई जा पाए ।।49।।

मौतों का सौदागर कहने वाले।
अपना गिरेहबान झाँकें
कितनी मौतें करवाई हैं
अपनी सत्ता में आँकें ।।50।।

चार माह का शासक अनुभव
अनुभवी सा काम किया
कुशल नेतृत्व क्षमता कितनी
सारे जग को बता दिया ।।51।।

शीघ्रता से जितनी गुजरात में
शान्ति व्यवस्था छाई है
अन्यत्र अभी तक के दृश्यों में
नहीं कहीं आ पाई है ।।52।।

आगे जो कुछ भी हुआ वहाँ
मोदी पर है दोष मढ़ा
न्यायायिक सत्य सामने आया
विपक्ष से गया नही पढ़ा ।।53।।

बहुसंख्यक-अल्पसंख्यक ने
इसमें जाँन गवाई है
उनसठ को भूले सेकुलरवादी
दया अन्य पर आई है ।।54।।

इस घटना के बाद वहाँ पर
कोई दंगा हुआ नहीं
हिन्दू-मुस्लिम साथ-साथ हैं
कोई शिकवा नहीं कहीं ।।55।।

कितने दंगे हुए वहाँ पर
नहीं उसे वे गिनते हैं
दो हजार दो से आज तलक
मोदी माला जपते हैं ।।56।।

वोटों के सौदागर जन जन को
जाति धर्म में लड़वाते
बाँटो राज करो नीति ही
अंग्रेजों की है अपनाते ।।57।।

अब नायक है सच्चा आया
जनता ने पहचाना है
होगा गुजरात का विकास
सत्य सभी ने जाना है ।।58।।

अटल जी आए गुजरात मिले
राजधर्म की बात कही
अपना रहे हो देख रहा हूँ
कहा उन्होंने बात सही ।।59।।

झूठा आरोप लगा मोदी पर
इस्तीफे की माँग उठाई
वरिष्ठ जनों ने सच जाना
गलत माँग थी ठुकराई ।।60।।

फिर भी मोदी जी ने अपना
इस्तीफा था सौंप दिया
लेकिन विधानसभा ने उनका
नहीं इसे स्वीकार किया ।।61।।

विपक्ष की झूठी बातों से
निर्लिप्त भाव वे रहते हैं
गुजरात का जैसे हो विकास
कार्य वहीं वे करते हैं ।।62।।

रक्षा मंत्री जार्ज फर्नाडीज
अठ्ठाइस रात्रि ही आए
मोदी पाए दर्द वहाँ जो
शान्ति सान्त्वना थे लाए ।।63।।

एक मार्च को ही सेना ने
स्थिति पूर्ण संभाला है
नरेन्द्र मोदी के कौशल ने
दृश्य भयावह टाला है ।।64।।

शान्ति व्यवस्था कहीं देश में
इतनी शीघ्र नहीं आई
इतिहास गवाह है जनता ने
ऐसी छाँव नहीं पाई ।।65।।

तीन राज्य के मुख्यमंत्री से
पुलिस बल की माँग किया
थोड़ी भेजी महाराष्ट्र ने
बाकी ने इनकार दिया ।।66।।

गोधरा घटना के बाद सभी
उद्योग, विद्यालय, बैंक खुले
शान्ति व्यवस्था छाई ऐसी
एक–दूसरे से मिले–जुलें। ।।67।।

आगे चलकर जनता ने
उनको सबक सिखाया है
उनके क्रूर कृत्य से इनको
सत्ता से ठुकराया है ।।68।।

मोदी देश से माफी मांगे
विरोधी माँग उठाते हैं
दोषी हूँ फाँसी दे दो मुझको
तुमको सत्य बताते हैं ।।69।।

विरोधी पानी पी.पी. कर
मोदी पर दोष लगाता है
अल्पसंख्यक मत मिले उन्हीं को
सच का झूठ बनाता है ।।70।।

दिसम्बर दो हजार दो चुनाव
भाजपा को जीत दिलाने को
जिम्मेवारी सौंपी मोदी को
अपनी सरकार बनाने को ।।71।।

शान्ति गुजरात में छाई है
लग गए मिशन पूरा करने
केवल विकास का मंत्र साथ ले
जुटे गुजरात खुशी भरने ।।72।।

पत्रकारों ने पूछा उनसे
घटना घटित हुई कैसे
क्रिया की प्रतिक्रिया हुई यहाँ
दोनों नहीं घटें ऐसे ।।73।।

मीडिया ने पहली ही पंक्ति
पूरे देश उछाला है
और दूसरी पंक्ति कहे वे
मुँह पर डाला ताला है ।।74।।

विरोधी राजनीतिक कितने
कीचड़ उछाला करते हैं
भाजपा शासन दोषी कहते
अपने पाप न गिनते हैं ।।75।।

मुस्लिमों में जहर घोलना ही
सेकुलर बादी ध्येय रहा
परिवर्तन उनमें आया है
उन पर सुखद समीर बहा ।।76।।

लेखिका अरुन्धती राय
निम्न भावना रखती हैं
साम्यवाद की हैं पोषक
बदनाम कलम को करती हैं ।।77।।

एहसान जाफरी कत्ल साथ
दो बेटी का लिखती हैं
एक ही बेटी जो भाई संग
अमरीका में रहती है ।।78।।

गुलबर्ग सोसाइटी में यद्यपि
मुस्लिम कत्ल हुआ भारी
जाफरी हाथ में पिस्टल देखा
टूट पड़ी जनता सारी ।।79।।

अशोभनीय बातें कांग्रेस की
जो इसने अपनाया है
ओछे, झूठे आरोप लगाकर
निज सम्मान गिराया है ।।80।।

जाँच हुई निर्णय है आया
मोदी का दोष न माना है
विपक्ष या विकी मीडिया को
झूठ प्रचारक जाना है ।।81।।

गोवा कार्य समिति की बैठक
इस्तीफे की माँग उठाए हैं
वरिष्ठ जनों ने सोचा समझा
उचित नहीं बताए है ।।82।।

यदि मोदी वहाँ नही रहेंगे
स्थिति संभल न पाएगी
कट्टर पथी स्वतंत्र रहेंगे
शान्ति भंग हो जायेगी ।।83।।

पार्टी की आज्ञा शिरोधार कर
गुजरात लौट आए हैं
तन–मन, समय किया समर्पित
आगे कदम बढ़ाए हैं। ।।84।।

विरोधी तो विरोधी होते हैं
काँटे पथ फैलाए हैं
चुनाव अधिकारी निष्पक्ष नहीं
कष्ट इसी से पाए हैं ।।85।।

पूरे देश कहीं से कोई
वोट डाल सकता है
कपट–चाल थी चुनाव की
हर एक सत्य समझता है ।।86।।

बारह दिसम्बर दो हजार दो
सूचना चुनाव की आई
चुनाव जीतने को
जोड़ तोड़ विधि अपनाई ।।87।।

मोदी जी गौरव यात्राएं
पूरे प्रदेश निकाले हैं
उनको सुनने सैलाब उमड़ता
जादू लगता डाले हैं ।।88।।

विपक्ष मीडिया की चालों को
परवाह नहीं करते थे
अन्दर-बाहर के शत्रु, मित्र का
सच्चा रूप समझते थे ।।89।।

जितना अपमानित होते थे
उतना आगे बढ़ते थे
भाजपा के घोर समर्थक भी
चिन्तित उनसे रहते थे ।।90।।

भारी संख्या में मतदाता
मतदान केन्द्र आए हैं
हिन्दू-मुस्लिम नर-नारी
लम्बी कतार बनाए हैं ।।91।।

शाम तक मतदान का औसत
बासठ प्रतिशत आया है
इतना अधिक मतदान देखा
सबका सिर चकराया है ।।92।।

एक सौ बयासी का घोषित
परिणाम सामने आया
एक सौ सत्ताइस पर भाजपा
जीती परचम लहराया ।।93।।

कांग्रेस सिमटी इक्यावन पर
निज अस्तित्व गँवाया है
दे-दे गाली मोदी जी को
उनका मान बढ़ाया है ।।94।।

जोड़-फोड़ की नीति साथ में
जाति-पाँति की अपनाई
जितनी चालें चली विपक्ष ने
अपने मुंह की है खाई ।।95।।

विकास कार्य कुशल प्रशासक
अपना लक्ष्य बनाया है
अल्प समय में इस महत्व का
सबको भान कराया है ।।96।।

बाइस दिसम्बर दो हजार को
मुख्यमंत्री शपथ दिलाई है
जनता ने दूसरी बार उन्हें पा
शान्ति बड़ी पाई है ।।97।।

गोधरा का दोषी मोदी कह
जनता को भटकाया है
सत्य समझ जनता के आया
मत दे धता बताया है ।।98।।

पार्टी या संस्था से उन्होंने
बड़ा देश को माना है
जनता को सुख शान्ति मिले ज्यों
योजना वही बनाना है ।।99।।

दंगो से मुक्त गुजरात हुआ
प्यारी जनता कहती है
जब से सी एम मोदी आए
शान्ति बनी रहती है ।।100।।

मोदी जी से आडवाणी जी
हुए प्रभावित बोले हैं
योग्य, भले है गुजराती पर
नहीं समझना भोले हैं ।।101।।

समझ नहीं पाया हूँ मैं
क्या कहना चाह रहे
योजना विकास की क्या कैसे
यही जानना चाह रहे ।।102।।

10

पंचामृत योजना

पंचामृत योजना से विकास
करने की तैयारी है
ज्ञान, जल, ऊर्जा जन सुरक्षा
मिल कर शक्ति हमारी है ।।1।।

ज्ञान

ज्ञानी समाज ही आगे बढ़
सफल शिखर पर चढ़ता है
अपने बौद्धिक बल से ही
विकास चतुर्दिक करता है ।।2।।

ज्ञान रथ योजना लागू करके
शिक्षा ज्योति जलाया है
आधुनिक वैज्ञानिक तकनीकी
का विस्तार कराया है ।।3।।

उच्च शिक्षा, शिक्षक, शिक्षा
विद्यालय खुलवाए हैं
उपग्रह से सीधा सम्पर्क कराके
शिक्षा का क्षेत्र बढ़ाए हैं ।।4।।

गाँव-गाँव घूम जन मानस
को शिक्षा महत्व बताया है
भेजे बच्चों को विद्यालय
सबको ही समझाया है ।।5।।

बेटे-बेटी दोनों समान
शिक्षा के अधिकारी हैं
घर, परिवार, समाज देश के
मिल होते हितकारी हैं ।।6।।

जलशक्ति

सृष्टि का विस्तार हुआ जल से
जल ही जीवन आधार रहा
महत्व इसका समझ गए हैं
उनका चिन्तन सार रहा ।।7।।

सूखा पड़ा गुजरात राज
जल के लिए तरसता था
प्यासों की प्यास मिटाने को
साधन कहीं न मिलता था ।।8।।

सात सौ किलोमीटर दूर
नर्मदा नदी बहती है
पाइप लाइन बिछी यहाँ तक
प्यास सभी की बुझती है ।।9।।

नर्मदा गुजरात की जीवन रेखा
कल-कल, छल-छल बहती है
नहरें निकाली गई यहाँ से
सिंचित धरती रहती है ।।10।।

कुशल वैज्ञानिकों की मदद से
जल का प्रबंध कराया है
जल स्तर गिर रहा देश में
गुजरात में बढ़ आया है ।।11।।

झील, तालाब, कुएं लगभग
नौ सौ जीवन पाए हैं
सूखे पड़े रहते थे जो
पानी से भर आए हैं ।।12।।

सूखी पड़ी साबरमती में
नर्मदा नीर बहता है
इतना पानी रहता उसमें
नौकायन जन करता है ।।13।।

समुद्र में गिरने से पहले
नर्मदा नदी जल मोड़ा है
पूरे गुजरात में फैलाने
पाइप नहर से जोड़ा है ।।14।।

ऊर्जा

ऊर्जा शक्ति से विकास की
गति ऊँची हो जाती है
उद्योग-धंघे चलते इससे
समृद्धि इसी से आती है ।।15।।

जल, कोयला, प्राकृतिक गैस,
ऊर्जा के साधन बनते हैं
सौर ऊर्जा नियन्त्रित करके
उत्पादन बिजली करते हैं ।।16।।

ग्राम ज्योति योजना लाकर
विकसित गुजरात बनाए हैं
घर-घर पानी, बिजली पहुँचे
साधन वह अपनाए हैं ।।17।।

सरदार सरोवर बाँध ऊँचाई
इतना अधिक बढ़ाया है
विद्युत उत्पादन बढ़ा करके
गली-गाँव पहुंचाया है ।।18।।

जल विद्युत की शक्ति साथ पा
किस्मत किसान की जागी है
बिजली पानी पा वह
मोदी का अनुरागी है ॥19॥

जन शक्ति

इज़राइल जाकर मोदी ने
कारण विकास का जाना है
देश भक्ति, मेहनत कर्म समर्पित
नर-नारी को माना है ॥20॥

विकसित देशों में जो देखा
साधन वह अपनाए हैं
मेरे यहाँ भी हो विकास
भाव हृदय में लाए हैं ॥21॥

सेकुलर सम्प्रदाय का ढोंग
नहीं कहीं अपनाए हैं
जाति धर्म में घुले जहर का
कामों से समन कराए हैं ॥22॥

तकनीक, व्यवसाय, शासन की
शिक्षा को विस्तार दिया
उद्यम में व्यस्त किया युवक को
बेरोजगारी दूर किया ॥23॥

देश भक्त, शिक्षित कर्मशील
युवक जहाँ पर होते हैं
विकसित करके अपना समाज
बीज प्यार का बोते हैं ।।24।।

जन शक्ति से होता विकास
मोदी ने यह जाना है
प्यार के बंधन बाँधो सबको
उपाय उन्होंने माना है ।।25।।

जन शक्ति से ही बाँधों नहरों
का विकास कराया है
और इसी ताकत के बल
हरित गुजरात बनाया है ।।26।।

सुरक्षा

आतंकवाद, उग्रवाद ने
सकल विश्व भयभीत किया
गुजरात नहीं आ पाए
ऐसा सुरक्षा कवच दिया ।।27।।

चेतन कमाण्डो का गठन किया
चैतन्य सदा वे रहते हैं
निर्भीक, निडर, साहसी होते
दुष्ट सभी डरते है ।।28।।

भले गुजरात से लगी हुई
पाकिस्तानी सीमा है
आतंकी यहाँ करें शरारत
मोदी ने बल छीना है ।।29।।

स्त्रियाँ सुरक्षित हों घर–बाहर
महिला पुलिस गठन किया
भयमुक्त हुए गुजराती को
विकास कार्य से जोड़ दिया ।।30।।

भय और बल से मतान्तरण
कहीं न कोई कर पाए
सजा मिले ऐसे तत्वों को
है कड़े कानून बनाए ।।31।।

अपराधी–अपराधी होता है
न सगा, पराया नाता है
दंड कानून का मिलता है
कोई न बचा पाता है ।।32।।

मुसलमानों के लिए किया क्या
पत्रकार ने पूछ लिया
सी.एम. का उत्तर कुछ नहीं
जाति विशेष के लिए किया ।।33।।

छः करोड़ गुजराती के हित
सारा समय लगाता हूँ
सबका विकास हो जैसे
भेद-भाव मिटाता हूँ ।।34।।

ईमानदार कर्मशील जो
कार्य नियम से करते हैं
मोदी के कुशल प्रशासन में
सुरक्षित वे ही रहते हैं ।।35।।

लेकिन जिसके दिल पाप भरा
निन्दा करते रहते हैं
भ्रष्ट काम चोर होते जो
दोष-रोष मढ़ते हैं ।।36।।

नौकरसाही को समाप्त कर
कुशल प्रशासन लाए हैं
ग्राहक को मिले संतुष्टि जिससे
कार्य करें समझाए हैं ।।37।।

पंचायत योजना से प्रदेश का
पूर्ण विकास कराया है
हिन्दू, मुस्लिम, सिख, ईसाई सब
को खुशहाल बनाया है ।।38।।

विकास की ओर गुजरात

सन दो हजार सात चुनाव
मोदी कदम बढ़ाए हैं
जनता के बीच गए मिले
सबने प्यार लुटाए हैं ।।39।।

पाँच वर्ष का कार्य काल
इतना विकास कराया है
जनता ने सोचा कभी नहीं जो
दृश्य सामने आया है ।।40।।

मौतों का सौदागर कहने वाले
अपनी मौत बुलाए हैं
सत्य समझ जनता के आया
झूठों को ठुकराए हैं ।।41।।

क्या कुछ ऐसा था मोदी में
विपक्षी समझ नहीं पाया
झूठा प्रचार भ्रम फैलाया
फिर भी नहीं हरा पाया ।।42।।

एक सौ बाइस सीटें जीतीं
पुनः सरकार बनाए हैं
पाकर सम्मान पूर्ण बहुमत
आगे कदम बढ़ाए हैं ।।43।।

मुफ्त बिजली मिलती थी
जो कुछ घण्टे आती थी
किसान को मिले खुशहाली
मिल न इतनी पाती थी ।।44।।

मोदी सरकार ने ले उचित दाम
बिजली पूर्ति कराया है
किसान पाकर पूरी बिजली
अपनी उपज बढ़ाया है ।।45।।

मुफ्त के बदले पैसा देना
समझ किसान की आया है
मुफ्त का झाँसा देने वालों
से किसान पछताया है ।।46।।

बिजली का पैसा दे करके
अधिक लाभ कमाता है
खुशहाली गाँवों में आई
नहीं शहर अब जाता है ।।47।।

बाइब्रेन्ट गुजरात शिखर सम्मेलन
का प्रबंध कराया है
उद्योगपति उद्योग लगाए
उनमें भाव जगाया है ।।48।।

गुजरात में सद्भाव बढ़े
सद्भावना मिशन चलाया है
जगह-जगह व्रत-उपवास किया
सबसे हाथ मिलाया है ।।49।।

कृषि महोत्सव योजना के अन्तर्गत
वैज्ञानिक टीम बनाया है
कृषकों को दे उचित सलाह
फसलों की उपज बढ़ाया है ।।50।।

दो हजार बारह के चुनाव में
हैट्रिक जीत लगाई है
एक सौ पन्द्रह जीत भाजपा
ने सरकार बनाई है ।।51।।

हैट्रिक जीत लगा पहले
माँ का आशीर्वाद लिया
केशू के घर जा पैर छुए
उन्होंने आशीर्वाद दिया ।।52।।

दो हजार दो के दंगे मोदी
को कातिल कहने वाले
वोटों के सौदागर बदनाम उन्हें
सकल विश्व में कर डाले ।।53।।

झूठे आरोप लगाने वाले
कब तक मुंह की खाओगे
तुम भी भारत माँ के प्यारे
कब सपूत बन पाओगे ।।54।।

जानने गुजरात का विकास
लोग विश्व से आते हैं
कार्य-कुशलता से चकित हुए
मोदी से हाथ मिलाते हैं ।।55।।

ढ़ोंगी सेकुलर वादी अब तो
सत्य पेड़ की छाँव गहें
भारतवासी सब समान हैं
नहीं किसी को अलग कहें ।।56।।

मुसलमानों ने मोदी को
मत दे कर अपनाया है
सेकुलर वादी जहर घोलते
सत्य समझ में आया है ।।57।।

जहाँ कहीं भी मुस्लिम बस्ती
भाजपा वहाँ जीती है
दंगा रहित प्रदेश हुआ है
याद किया जो बीती है ।।58।।

गरीबी उनकी दूर हुई है
जो व्यापार बढ़ाया है
बच्चों को शिक्षा देते हैं
सम्मानित जीवन पाया है ।।59।।

सच्चा सेकुलर वादी नेता
मोदी को ही माना है
ढ़ोगी आते उन्हें लड़ाते
उन सबको पहचाना है ।।60।।

जाति, धर्म, मजहब के चश्मे
से देखा गुजरात नहीं
सुखी समृद्धि जितने मुस्लिम
और राज्य में कहीं नहीं ।।61।।

गुजरात राज के मुसलमान ने
मोदी को स्वीकार किया
सुख, शान्ति सम्पदा पाकर के
विष बेल बढ़ी जो सुखा दिया ।।62।।

समझ गई है ढोंग सभी का
भारत माँ की सन्तानें
अब न भुलावे में आयेंगी
कोई भी आए बहकाने ।।63।।

बारह वर्षों में गुजरात का
जितना विकास कराया है
पूरे भारत में कहीं नहीं
इतना सम्भव हो पाया है ।।64।।

11

प्रधानमंत्री की छवि

यही सत्य है सोचा सबने
मोदी पी.एम. बन जाएँ
गुजरात जैसा विकास
भारत के हर जन पाएँ ।।1।।

मोदी बने प्रधानमंत्री सब
ने आवाज उठाई है
भाजपा नेताओं के कानों
को यह दिया सुनाई है ।।2।।

भारत भाग्य विधाता की छवि
देखा सबने मोदी में
विकसित राष्ट्र बनाये सपूत
आया माँ की गोदी में ।।3।।

श्री यशवन्त सिन्हा मोदी को
अच्छी तरह समझाते थे
कार्यकर्ता जनता की सुनकर
चिन्तन करते रहते थे ।।4।।

प्रधानमंत्री की पूर्ण योग्यता
मोदी में पाई जाती है
विकास पुरुष की छवि फैली
गुजरात से बाहर आती है ।।5।।

गुजरात माडल पूर्ण देश में
दिल–दिमाग में आता है
पी.एम. उम्मीदवार बनाएं
नरेन्द्र नाम सुझाता है ।।6।।

मोदी को नहीं चाहता जदयू
हमको छोड़ भले जाएं
भाजपा के शीर्ष नेतृत्व को
यशवन्त जी थे समझाए ।।7।।

भारत के कोने–कोने से
आवाज सुनाई पड़ती है
मोदी बने प्रधानमंत्री
भारत की जनता कहती है ।।8।।

सर्वेक्षण कराया गया देश में
परिणाम निकल आया है
सत्तावन प्रतिशत ने प्रधानमंत्री
मोदी का नाम बताया है ।।9।।

पैंसठ प्रतिशत युवा शक्ति ने
आदर्श उन्हें बनाया है
भव्य भारत बना देने की
क्षमता उनमें पाया है ।।10।।

दो हजार चौदह में चुनाव
लोक सभा होने वाला है
भाजपा प्रचार का संचालन
मोदी ऊपर डाला है ।।11।।

पूरी जिम्मेवारी साथ लिए
चुनाव प्रचार को जाते
भाषण प्रतिभा इतनी उनमें
सुनने लोग खिंचे आते ।।12।।

जहाँ कहीं भी रैली होती
लाखों भीड़ उमड़ती थी
मोदी-मोदी जयकार गुंजाकर
भावना प्रगट करती थी ।।13।।

ऊब चुकी थी देश की जनता
भ्रष्टाचार घोटालों से
धरती, अम्बर, पाताल लोक
न बचा लूटने वालों से ।।14।।

जनता चाह रही है परिवर्तन
मोदी ने पहचान लिया
भाजपा सरकार बनायेगी
सबके दिल में डाल दिया ।।15।।

12

प्रधानमंत्री प्रत्याशी

संसदीय बोर्ड की बैठक में
निर्णय यह आम हुआ
प्रधानमंत्री उम्मीदवार बने
घोषित मोदी नाम हुआ ।।1।।

तेरह सितम्बर सन् तेरह को
खुशी देश में छाई है
पी.एम. उम्मीदवार हुए मोदी
आस विजय की आई है ।।2।।

सारथी राजनाथ के संग
मोदी ने थामा धनुष बान
विजय ध्वजा फहरा करके
चले बढ़ाने राष्ट्रमान ।।3।।

वाराणसी-बड़ोदरा से अपना
नामांकन करवाया है
भारी बहुमत से जनता ने
उन्हें चुनाव जिताया है ।।4।।

अद्भुत करिश्माई व्यक्तित्व साथ
जहाँ कहीं भी जाते है
पाते ही सूचना वहां लोग
सुनने उनको आते हैं ।।5।।

शब्द वाक्य निकल कर आते
उनमें कला झलकती है
श्रोता मन-मुग्ध उन्हें सुनते
सबको प्रेरित करती है ।।6।।

इतिहास भूगोल समझ लेते
जहाँ बोलने जाते हैं
समस्याएँ जो भी घिरी वहाँ
निराकरण समझाते हैं ।।7।।

भाई-बहनों, मित्रों कहकर
सभा सम्बोधित करते हैं
श्रोता की चाह समझ कैसी
अनुकूल वही कहते हैं ।।8।।

युवा शक्ति का आकर्षण
उनमें बढ़ता जाता है
मोदी–मोदी जयकार गुजांकर
हम सब साथ बताता है ।।9।।

जाति धर्म से ऊपर उठकर
सबका विकास करायेंगे
रोजगार के अवसर पाए
शिक्षित उन्हें बनायेंगे ।।10।।

हरियाणा रैली कहा पड़ोसी
आपस में वे लड़े नहीं
गरीबी, अशिक्षा से करें लड़ाई
अभाव नहीं रहे कहीं ।।11।।

जैसे विकसित गुजरात हुआ
वह सबको बतलाते हैं
पूरा भारत होगा वैसा
सबमें आस जगाते हैं ।।12।।

आम आदमी को विकास में
साझीदार बनाना है
व्यस्त अधिक से अधिक रहे
लघु उद्योग बढ़ाना है ।।13।।

धर्म निरपेक्षता या कोई
निर्णय लेकर काम करें
सबसे पहले भारत माँ का
अपने दिल में ध्यान धरें ॥14॥

इतिहास के पन्नों में बिहार का
इतिहास लिखा जब जायेगा
सत्ताइस अक्टूबर सन् तेरह
का दिन न भूल पायेगा ॥15॥

बिहार रैली में सुरक्षा की
कोई चूक हुई भारी
सोलह धमाके आतंकी के
दहल गई जनता सारी ॥16॥

मंच स्थल के पास लगे बम
दबे हुए निस्तेज रहे
मोदी ने सत्कर्म किये जो
फटे न उसका तेज सहे ॥17॥

मंच पर आ करके मोदी जी
भारत माँ की जय बोले
मित्रों पटाका नहीं छुड़ाओ
सुनो बिना हिले डोले ॥18॥

बिहार जनता के साहस की
बहुत प्रशंसा करता हूँ
आपके धैर्य समझ ज्ञान को
अच्छी तरह समझता हूँ ।।19।।

भाषण समाप्त कर कहा सभी से
सुरक्षित सीधे घर जाएं
यह सूझ बूझ इसलिए हुई है
दुर्घटना बड़ी बचा पाएं ।।20।।

बम विस्फोटों में जीवन खोया
परिवारों को वचन दिया
अब तुम्हारे संरक्षक हैं हम
अनाथ बेटी गोद लिया ।।21।।

भारी भीड़ सभा में उमड़ी
देख विपक्ष की नींद उड़ी
दौलत की नदी बहाकर भी
भीड़ न उन की ओर मुड़ी ।।22।।

जगह-जगह जाकर कहते हैं
भारत समृद्ध बनाना है
कांग्रेस से मुक्त हो ऐसा
शासन देश में लाना है ।।23।।

पी.एम. नही चौकीदार बनाए
रक्षा देश की करना है
तिजोरी पर आँख गड़ाए कोई
दूर उसी को रखना है। ।।24।।

सरकार का धर्म एक ही है
संविधान जिसे कहते हैं
संगठन विचार या जाति धर्म
बंधे उसी से रहते हैं ।।25।।

वंशवाद परिवार वाद से
देश मुक्त कराना है
भ्रष्टाचार लुटेरों से अपना
भारत वर्ष बचाना है ।।26।।

तीन लाख कि.मी. की यात्रा
चुनाव में कर डाला है
चार सौ सैंतीस की रैली में
दिया प्यार का प्याला है ।।27।।

चौबीस घन्टे में अट्ठारह
घंटे सदा व्यस्त रहते हैं
ऐसा नायक मिले देश को
कामना सभी करते है ।।28।।

ठंडा पेय इसलिए न लेते
गला खराब हो जाता है
लगातार बोलना पड़ता
व्यवधान नहीं आता हैं ।।29।।

हल्का-फुल्का शाकाहारी
भोजन ही वे करते हैं
शरीर स्वस्थ रहता है उनका
संयम नियम से रहते है ।।30।।

उनके व्यक्तित्व का प्रभाव
मतदान केन्द्र पर भीड़ खड़ी
मोदी सरकार बनाने को
घर से जनता निकल पड़ी ।।31।।

जीवन में प्रथम बार किसी ने
एफ. आई. आर. कराया है
कमल का फूल दिखलाना
गलत समझ में आया है ।।32।।

आन्ध्र रैली में बोले गलती
जीवन में कभी हुई नहीं
वाहन चलाने या पार्किंग में
चालान नहीं कटा कहीं ।।33।।

सोलह मई दो हजार चौदह
घोषित परिणाम हुआ है
मोदी ने इतिहास रचाकर
ऊँचा शिखर छुआ है ।।34।।

भारी मतदान हुआ देख
सर्वेक्षण निर्णय आया है
राजग का सभी ने बहुमत
बढ़ा हुआ दिखलाया है। ।।35।।

गणना का निर्णय आया है
राजग बहुमत पाया है
तीन सौ छत्तीस सीटें जीती
सबको ही चौंकाया है ।।36।।

दहाई में ही सिमट गए सब
कुछ के खाते खुले नहीं
पार्टी विपक्ष की कुर्सी बैठे
सांसद किसी को मिले नहीं ।।37।।

तीस वर्षों के बाद अकेली
पार्टी सत्ता में आई है
दो सौ बयासी सीट जीतकर
भाजपा बहुमत पाई है ।।38।।

समझ गया है जनमानस
वोटों के सौदागर को
नफरत की ज्वाला फैलाते
ढोंग कपट के नागर को ।।39।।

मोदी ने सबको बतलाया
हम मिलकर काम करेगे
सत्ता में भागीदार घटक
राजग के सभी रहेंगे ।।40।।

चुनाव जीतने के बाद प्रथम
भाई पंकज के यहाँ गए
माँ जी रहतीं पास उन्ही के
घर जा उनके पाँव छुए ।।41।।

माँ ने विजय तिलक लगाकर
मुंह मीठा करवाया है
आशीर्वाद प्यार से देकर
सिर पर हाथ फिराया है ।।42।।

गुजरात राज सा भारत माँ
की सेवा तुम करो लाल
इतना विकास जा कर डालो
भारत उन्नत रहे भाल ।।43।।

इस चुनाव में अलग हुआ कुछ
सेकुलर समझ न पाया है
जाति धर्म में घुले जहर का
किसने समन कराया है ।।44।।

कांग्रेस के बाद प्रथम बार
अकेली बहुमत पाई है
भाजपा सरकार बनायेगी
सबने खुशी मनाई है ।।45।।

मोदी को मिलने लगी बधाई
दुनिया के नेताओं से
निमंत्रण दे–दे लगे बुलाने
परिचित हो क्षमताओं से ।।46।।

जीत चुनाव रैली में बोले
लोक–तंत्र की जीत हुई
मुझ ऐसे गरीब बच्चे की
देश की जनता मीत हुई ।।47।।

जनता से मिला जनादेश है
उसके आगे झुकता हूँ
जीत हमारे साथ रहेगी
एक रहें सब कहता हूँ ।।48।।

सवा सौ करोड़ भारत का
सपना पूरा करना है
भारत माँ वैभवशाली हो
पथ विकास के बढ़ना है ।।49।।

बनारस जाकर बोले माँ
गंगा ने हमें बुलाया है
आरती में सम्मिलित होने का
सौभाग्य मुझे मिल पाया है ।।50।।

काशी विश्वनाथ के मन्दिर
राजनाथ के साथ गए
पूजन अर्चन रुद्राभिषेक कर
महादेव को नमन किए ।।51।।

संसद लोकतंत्र का मन्दिर है
सांसद पूजा करते हैं
मोदी भावुक हुए द्वार पर
माथा टेके झुकते हैं ।।52।।

मीडिया कर्मी तत्पर हुए
फोटो खींचने लगते हैं
ऐसी ऐतिहासिक यादगार को
सम्मुख देश के रखते हैं ।।53।।

13

प्रधानमंत्री

बीस मई को नेता चुनने
सांसद संसद आए हैं
संसदीय दल का नेता मोदी
एक मत हुए बनाए हैं ।।1।।

भावुक हुए आडवाणी जी
गले उन्हें लगाए है
भाजपा–मोदी सद्प्रयास ने
यह दिन हमें दिखाए हैं ।।2।।

संसद के केन्द्रीय हाल में
राजनाथ दिल खोल दिए
जनसंघ संस्थापक श्यामा प्रसाद
दीन दयाल को याद किए ।।3।।

विकसित भारत के सपने देख
जीवन का बलिदान किया
अटल, आडवाणी सी विभूति में
रामकृष्ण सी ज्योति दिया ।।4।।

इन चारों के देखे सपने
मोदी साकार करेंगें
ऐसा विश्वास जगा जन-जन में
अब सुख-सुमन खिलेंगे ।।5।।

छब्बीस मई दो हजार चौदह
ने इतिहास रचाया है
विश्व ने किया प्रतीक्षा जिसकी
वह पावन दिन आया है ।।6।।

चार हजार बन सहभागी
समारोह में आए हैं
उत्सुक प्रतीक्षारत होकर
मंच पर दृष्टि गड़ाए हैं ।।7।।

पड़ोसी और सार्क देश के
शासनाध्यक्ष आए हैं
समारोह में शिरकत करने
भारत ने उन्हें बुलाए हैं ।।8।।

छह बजकर पन्द्रह मिनट पर
शुभ घड़ी वह आई है
राष्ट्रपति प्रणव मुखर्जी जी ने
पी.एम. शपथ दिलाई है ।।9।।

समारोह स्थल गूंज उठा
करतल ध्वनि झंकारों से
पूरा देश ही झूम उठा है।
मोदी के जयकारों से ।।10।।

पलक पाँवड़े बिछाकर जनता
टी.वी. पर दृष्टि गड़ाए थी
जैसे दृश्य सामने आया
नाच उठी हर्षाए थी ।।11।।

पन्द्रहवें प्रधानमंत्री मोदी
भारत के जग जान गया
विश्व दृष्टि पाएगा उनसे
अपने दिल में मान गया ।।12।।